Annwyl Ddarllen

Mae antur go iawn

beryglon – mae'n fentrus ac yn enbydus a gall fod yn berygl bywyd. O gystadlu yn ras cŵn-tynnu-slèd Iditarod ar draws Alaska, i hwylio'r Cefnfor Tawel, rwyf wedi profi peth o'r byd hwn fy hunan. Byddaf yn ceisio dal yr ysbryd hwnnw yn fy straeon bob tro y byddaf yn gweithio ar lyfr – ac mae'r sialens honno yn dipyn o antur ynddi ei hun hefyd!

Rydych chithau'n camu i fyd o beryglon wrth agor y llyfr hwn. Dros y blynyddoedd, rwyf wedi cael y fraint o siarad â llawer o rai yr un oed â chi mewn gwahanol ysgolion ac mae'r gyfres hon wedi'i sgwennu'n arbennig ar ôl clywed eich bod wrth eich bodd yn darllen am anturiaethau llawn cyffro.

Chi sydd wedi gofyn amdani – felly daliwch yn dynn wrth inni neidio i ganol stori iasol arall yn y gyfres *Byd o Beryglon*.

Gary Paulsen

Byd o Beryglon, Gary Paulsen

Mentrwch ar anturiaethau Gary Paulsen i ganol byd o beryglon – mae'n rhaid bod yn tŷff i ddod trwyddynt ...

1. Perygl ar Afon Lloer
2. Yr Arth Grisli
3. Plygu Amser
4. Craig y Diafol
5. Parasiwt!
6. Y Llong Drysor

BYD O BERYGLON
GARY PAULSEN

Plygu Amser

Addasiad Esyllt Nest Roberts

Gwasg Carreg Gwalch

Cyhoeddwyd yn wreiddiol yn 1995
gan Bantam Doubleday Dell, USA

Cyhoeddwyd gyntaf yn y Gymraeg gan Wasg Carreg Gwalch.

Argraffiad cyntaf: Gorffennaf 2001

Rhif Llyfr Safonol Rhyngwladol 0-86381-683-5

Cyhoeddir drwy gytundeb â Random House Children's Books, adran o Random House, Inc. Efrog Newydd, Efrog Newydd, UDA.

Cynllun y clawr gwreiddiol gan David Kearney, drwy gytundeb â Macmillan Children's Books, Llundain.

Cyhoeddir dan gynllun comisiynu Cyngor Llyfrau Cymru.

Argraffwyd a chyhoeddwyd gan Wasg Carreg Gwalch,
12 Iard yr Orsaf, Llanrwst, Dyffryn Conwy, LL26 0EH.
☏ 01492 642031
🖷 01492 641502
✉ llyfrau@carreg-gwalch.co.uk
Lle ar y we: www.carreg-gwalch.co.uk

Pennod 1

DENVER

Pwysodd Sam Griffin, deuddeg oed, yn ôl oddi wrth ei ddesg a'i ddwylo wedi eu plethu y tu ôl i'w ben. Roedd ei athrawes gwyddoniaeth yn egluro cyfarwyddiadau'r prawf yr oedd hi am iddyn nhw ei sefyll – prawf gan y llywodraeth a fyddai'n dangos pa mor glyfar oedden nhw.

Agorodd Sam ei geg. Am wers ddiflas! Allai o ddim credu'r peth. Roedd ei athrawes newydd ddweud bod y llywodraeth eisiau dod o hyd i wyddonwyr y dyfodol, ac am osod profion arbennig i weld pwy fyddai'n addas.

Gadawodd Sam i'w draed ddisgyn yn glewt ar y llawr a chymerodd gipolwg ar y dudalen gyntaf. Yr hen lol arferol, wedi'i gynllunio i gadarnhau bod yr ysgol yn dweud y gwir am ei *IQ*.

Ar gornel uchaf y papur prawf, mewn lle oedd i fod i gael ei adael yn wag, gwnaeth Sam lun o Mrs Johnson, ei athrawes. Roedd yn gartŵn perffaith ohoni. Dau ddant mawr, sgwâr yn hongian dros ei gwefus isaf dew. Edrychai fel gwiwer yn gwisgo sbectol.

'Rydych chi'n cydnabod fy mod i yma o leia, Mr Griffin, er bod popeth arall yn eich diflasu chi.' Roedd Mrs Johnson yn sefyll o flaen ei ddesg a'i breichiau wedi eu plethu. 'Ond mae'n rhaid cymryd y prawf yma, felly dewch yn eich blaen. Gyda llaw, wnes i sôn y bydd y rhai sy'n sgorio'n ddigon uchel yn ennill trip – a hwnnw'n rhad ac am ddim – i'r brifddinas, i gyfarfod rhai o wyddonwyr gorau'r wlad?'

Cododd Sam ei lygaid, a oedd bron ar gau. 'Swnio'n hwyl, Mrs J.'

Gwthiodd Mrs Johnson ei sbectol ar hyd ei thrwyn gan edrych yn fanwl ar y bachgen a oedd yn hanner cysgu o'i blaen. Roedd hi'n gwybod ei fod o ymysg y deg y cant mwyaf clyfar yn y wlad gyfan, a'i fod o'n anhapus iawn ei fod yn gorfod 'gwastraffu' amser yn ei gwersi hi. Byddai'n llawer iawn gwell ganddo fod adref yn gweithio ar un o'i ddyfeisiadau. Ochneidiodd. 'Rho gynnig arni, Sam. Efallai bod hwn yn wahanol i'r lleill.'

LOS ANGELES

'Jac, tyrd â'r pentwr o bapurau prawf sydd ar ddesg y prifathro i mi, wnei di?'

'Wrth gwrs, Mrs Olsen.' Roedd y bachgen deuddeg oed yn helpu yn swyddfa'r ysgrifenyddes. Defnyddiodd ei hallwedd hi er mwyn mynd i mewn i ystafell y prifathro. 'Wela i mohonyn nhw,' galwodd.

'Maen nhw mewn amlen fawr frown.'

'O ie, dyma nhw.' Cariodd Jac Brown yr amlen o'r ystafell a'i rhoi ar ddesg Mrs Olsen. 'Beth yn union ydi'r profion yma, felly?'

Gwenodd yr ysgrifenyddes ar y bachgen. 'Morwyn fach ydw i. Y cyfan wn i ydi bod y disgyblion sy'n sgorio'n ddigon uchel yn cael mynd i Washington D.C. i gyfarfod pobl bwysig iawn.'

'Wir?' Gwgodd Jac. 'Fel'na mae hi bob tro. Y rhai clyfar sy'n cael y lwc i gyd. Pam nad ydan ni, y plant "cyffredin", yn cael mynd ar deithiau a ballu?'

Cododd Mrs Olsen ei haeliau. 'Fe gaiff unrhyw un sefyll y prawf, Jac. Os oes gen ti ddiddordeb, mae yna un gwag yn y cwpwrdd fan yna.'

Cnodd Jac ei wefus isaf. 'Pam lai? Does gen i ddim byd i'w golli.' Aeth at y cwpwrdd ac edrych drwy'r ffeiliau. Ar ôl dod o hyd i'r papur prawf, eisteddodd ar y llawr yn ymyl desg yr ysgrifenyddes a dechrau rhoi cylchoedd sydyn o gwmpas yr atebion.

'Dydw i ddim eisiau torri ar draws, Jac, ond dwyt ti ddim yn meddwl y byddai hi'n well iti ddarllen y cwestiynau cyn ateb?'

Gwenodd Jac. 'Sgen i ddim amser. Mae gen i ymarfer pêl-fasged yn syth ar ôl yr ysgol, ac mae'r hyfforddwr yn flin iawn os ydan ni'n cyrraedd yn hwyr.'

Pennod 2

'Esgusodwch fi, syr. Wnewch chi wisgo eich gwregys diogelwch, os gwelwch yn dda? Rydyn ni ar fin glanio.'

Cymerodd Sam gipolwg sydyn ar y weinyddes a nodio'i ben. Caeodd y gwregys ac edrych ar ei oriawr. Roedden nhw chwarter awr yn hwyr. Doedd dim ots ganddo fo. A dweud y gwir, doedd fawr o ots ganddo am y trip gwirion yma o gwbl. Ond o leia roedd o'n cael peidio mynd i'r ysgol am wythnos.

Glaniodd yr awyren yn weddol esmwyth a phowlio yn ei blaen tuag at adeiladau'r maes awyr. Ar ôl iddi sefyll yn stond, tynnodd Sam ei fag canfas brown o'r cwpwrdd uwch ei ben a'i agor. Doedd yr offer electroneg yn edrych ddim gwaeth. Roedd o wedi dod â'i arbrawf diweddaraf gydag o rhag ofn y byddai arno angen rhywbeth difyr i'w wneud yn Washington.

Camodd yn ei ôl i'r llwybr oedd yng nghanol yr awyren a tharo yn erbyn un o'r teithwyr eraill. 'Mae'n ddrwg gen i.'

'Paid â phoeni dim.' Gwenodd y bachgen tal. Edrychai tua'r un oed â Sam.

Fedrai Sam ddim peidio â gwenu'n ôl. Yna, trodd a cherdded oddi ar yr awyren i fynd i chwilio am weddill ei fagiau.

Ugain munud yn ddiweddarach roedd yn eistedd yn ymyl ei fagiau, gan ddisgwyl i rywun o'r Athrofa Wyddoniaeth ddod i'w nôl.

Roedd y bachgen tal a welodd ar yr awyren yn aros am rywun hefyd, ac yn bownsio pêl yn swnllyd wrth wrando ar beiriant cryno-ddisgiau.

Aeth hanner awr arall heibio. Erbyn hyn, dim ond un pâr oedrannus, teulu o bedwar a'r ddau fachgen oedd yn y lolfa aros.

'Wn i ddim beth amdanat ti, ond rydw i wedi cael llond bol ar eistedd fan yma.' Roedd y bachgen tal wedi diffodd ei beiriant cryno-ddisgiau ac wedi dod i sefyll yn ymyl Sam. 'Hoffet ti rannu tacsi efo fi?'

Crafodd Sam ei ben. 'Ym ... m ... iawn. O'r

gorau. Mae'n debyg fod pwy bynnag oedd am fy nôl i wedi anghofio. Rydw i i fod i aros yn Fairmont. Beth amdanat ti?'

'Hei, yn y fan honno yr ydw i'n aros hefyd. Gwych! Dwed i mi, wyt ti'n un o'r rhai clyfar wnaeth ennill trip yma oherwydd rhyw brawf gwirion?'

'Ydw, yn anffodus. A tithau?'

'Mae'n stori hir, ond ydw, dyna pam rydw i yma hefyd. Jac ydw i. Jac Brown o L.A.'

'Sam Griffin, Denver.'

'Grêt. Wyt ti eisiau help efo dy bethau?' cynigiodd Jac.

Ysgydwodd Sam ei ben. 'Rydw i'n iawn, diolch i ti.'

'O'r gorau. I ffwrdd â ni.' Ac allan â'r ddau drwy'r cyntedd, gyda Jac yn arwain y ffordd. 'Gyda lwc fe ddown ni o hyd i arcêd gêmau ar y ffordd i'r gwesty.'

Pennod 3

'Sut gebyst wnest ti hynna? Does neb yn medru sgorio gymaint ar ei gyfle cyntaf ar y *Crenshiwr Cyrff*,' meddai Jac wrth dynnu'i fag o gist y tacsi.

Cododd Sam ei ysgwyddau. 'Fe wnes i dy wylio di'n chwarae a dod i ddeall sut oedd rhaglen y gêm yn gweithio. Doedd hi'n fawr o her.'

'Paid â rwdlan! Dyna'r gêm anoddaf ar wyneb y ddaear 'ma.'

Cododd Sam ei fag canfas brown o dan ei gesail a gafael yn ei fag arall. 'Os wyt ti'n dweud.'

Dilynodd Jac ei gyfaill newydd i mewn i'r gwesty. 'Fedri di wneud popeth cystal â hynna?'

'Ddim popeth.' Oedodd Sam ychydig droedfeddi cyn cyrraedd y ddesg gofrestru. Llygadodd bêl Jac. 'Rydw i'n anobeithiol mewn chwaraeon.'

'Hen dro.' Edrychodd Jac arno'n llawn cydymdeimlad.

'Dyma chi o'r diwedd!' Rhuthrodd gŵr byr gyda phen moel i'w cyfeiriad. 'Rydyn ni wedi bod yn aros amdanoch ers oriau. Fe fethodd ein gyrrwr eich cyrraedd chi mewn pryd, rhywsut neu'i gilydd. Cummings ydw i – o'r Athrofa. Mae gweddill y grŵp newydd fynd am y labordy. Dewch i gael eich cofrestru ac yna fe ddilynwn ni nhw.'

'Arhoswch,' meddai Jac. 'Chawn ni ddim gweld ein stafelloedd gyntaf, a chael cyfle i wneud ein hunain yn gartrefol?'

Ochneidiodd Mr Cummings. 'Ŵr ifanc, rydw i newydd egluro ein bod ni'n hwyr fel ag y mae hi. Fe fyddwn ni'n hwyr i'r cyflwyniad a'r swper hefyd os na frysiwn ni.'

'Ond beth am ein bagiau?' holodd Sam.

'Peidiwch â phoeni. Fe adawn ni bopeth yng ngofal y clerc y tu ôl i'r ddesg. Fe wnaiff o'n siŵr y bydd eich bagiau'n cael eu cludo i'ch stafelloedd.'

'Does dim peryg 'mod i'n gadael fy mheiriant

cryno-ddisgiau a 'mhêl gyda'r dieithriaid yma. Mae'r peiriant yn newydd sbon ac mae tîm pêl-fasged gorau'r wlad wedi llofnodi'r bêl.'

'Fedra innau ddim gadael y bag yma chwaith. Mae 'na bethau rhy werthfawr ynddo fo.' Gafaelodd Sam yn dynn yn ei fag.

'O'r gorau. Os oes raid.' Cerddodd Mr Cummings at y ddesg i gwblhau'r trefniadau. Daeth yn ei ôl at y bechgyn ymhen ychydig funudau gan rwbio'i ddwylo'n eiddgar. 'Popeth yn barod. I ffwrdd â ni, iawn fechgyn?' Brysiodd i gyfeiriad y drws heb aros am ateb.

Edrychodd Sam ar Jac. 'Wyt ti'n edrych ymlaen at hyn cyn lleied ag yr ydw i?'

Chwyrlïodd Jac ei bêl ar flaen un bys. 'Beth am anghofio am y corrach bach a mynd yn ôl i'r arcêd? Fe gei di ddangos i mi sut i guro'r gêm yna.'

'Ar un amod.' Gwenodd Sam. 'Dy fod ti'n dangos i mi sut i wneud hynna.' Cyfeiriodd at y bêl yn chwyrlïo ar fys Jac.

'Bargen!'

Pennod 4

'Mae'r adain hon yn yr adeilad yn gartref i rai o'n prosiectau pwysicaf un.' Roedd gŵr tal mewn côt labordy wen a'i wallt yn britho yn arwain y grŵp ar hyd cyntedd hir. Agorodd ddrws. 'Yma mae ein arbrofion telegyfathrebu diweddaraf. Croeso i chi grwydro o gwmpas y stafell i edrych ar bethau, ond peidiwch â chyffwrdd dim, os gwelwch yn dda.'

Arhosodd Sam y tu ôl i un o'r gwyddonwyr a thynnu llyfr nodiadau bychan o boced ei grys. Dechreuodd ysgrifennu nodiadau brysiog.

'Roeddwn i'n meddwl ein bod ni am ddianc yn reit handi,' sibrydodd Jac.

'Mewn munud. Mae 'na ambell beth difyrrach nag oeddwn i wedi'i ddisgwyl yma.'

'Iawn. Rydw i wastad wedi mwynhau edrych ar lwyth o wifrau a thiwbiau gwydr.' Edrychodd Jac ar y myfyrwyr yn gwau drwy'i gilydd rhwng y gwahanol arbrofion. Roedden nhw i gyd yn edrych yn gartrefol iawn yma. Roedd un plentyn yn gwisgo tei-bô hyd yn oed!

'Dyma beth yw lwc!' mwmiodd Jac wrtho'i hun. 'Fy noson gyntaf yn Washington, a minnau'n gaeth mewn labordy gwirion gyda chriw o wyddonwyr gwallgo!'

'Nawr, pawb i ddod y ffordd yma, os gwelwch yn dda ...' Arweiniodd y gŵr tal nhw ar draws y cyntedd. 'Yn yr adran yma rydyn ni'n cynnal arbrofion yn ymwneud â'r gofod ac amser. Unwaith eto, mae croeso i chi edrych ar bethau, ond dim cyffwrdd.'

'Tyrd yn dy flaen,' sibrydodd Jac. 'Dyma'n cyfle i ddianc.'

'Mewn munud.' Symudodd Sam i gefn yr ystafell lle'r oedd gwyddonydd gwallgof yr olwg yn gwyro uwchben bwrdd. Edrychodd yn amheus ar y ddau fachgen. 'Oes gennych chi ddiddordeb mewn plygu amser?'

'Dydw i ddim yn siŵr.' Astudiodd Sam yr offer cymhleth oedd o'i flaen. 'Beth ydi hynny?'

Gwyrodd y gwyddonydd ei ben i un ochr. 'Aildrefnu amser, wrth gwrs. Rydych chi wedi gweld goleuni'n cael ei droi a'i yrru i gyfeiriad gwahanol drwy ddefnyddio opteg ffeibrau, yndo? Wel, mae modd gwneud hynny gydag amser hefyd – os ydych chi'n gwybod sut i'w blygu.'

Camodd Sam yn nes. 'Sut mae hynny'n gweithio?'

'Mae'r sawl sydd am deithio yn gwisgo hwn – sydd wedi ei gysylltu i'r cyfrifiadur – am ei ben, ac yna'n troi'r cloc ymlaen neu yn ôl fel y mynno …'

'Dr Craniwm.' Dechreuodd y gŵr tal mewn côt wen a oedd yn arwain y grŵp weiddi'n awdurdodol iawn. 'Fe ddylech chi hefyd ddweud wrth y myfyrwyr gwadd mai ar bapur yn unig y mae'r arbrofion yma'n gweithio ac nad ydyn nhw'n gweithio mewn gwirionedd. Dydyn ni ddim am lenwi pennau gwyddonwyr y dyfodol gyda rhyw hen ofergoelion, ydyn ni? Dewch y ffordd yma, gyfeillion. Byddwn yn awr yn symud at arbrofion diddorol ym maes brasterau ac asidau.'

'Diddorol iawn,' mwmiodd Jac.

Arhosodd Sam yn ei unfan. 'Fe hoffwn i gael gwell golwg ar y peiriant yna.'

'Pa un? Y Plygwr Amser?'

'Ie. Meddylia pa mor wych fyddai hi i wneud rhywbeth cwbl wallgof, ac yna troi'r cloc yn ôl fel petai dim wedi digwydd!'

'Roeddwn i'n gwybod dy fod ti a fi yn debyg.' Rhwbiodd Jac ei ên. 'Fe wna i'n siŵr dy fod ti'n medru dod yn ôl yma, ond ar ôl y daith rydw i am iti addo y byddi di'n mynd â fi'n ôl i'r arcêd i guro'r gêm.'

Dilynodd Sam y grŵp drwy'r drws. 'Sut fedrwn ni golli pawb arall heb i neb sylwi?'

'Gad di hynny i mi. Bydd yn barod i sleifio allan pan ro i arwydd.'

Pennod 5

'Fe wn i eich bod chi i gyd yn edrych ymlaen at eich swper, yn enwedig gan fod y bwyd y byddwn ni'n ei fwyta heno wedi cael ei gynhyrchu yma yn ein labordai ni ein hunain. Ond cyn hynny, fe hoffai'r Athrofa ddiolch o galon i chi am ddod yma a chyflwyno ychydig ffeithiau am eich llwyddiannau academaidd a'ch profion.'

Llygadodd Jac Sam ar draws y bwrdd bwyd. Roedd o ar fin gweithredu ei gynllun i ddianc pan alwodd rhywun arno. Edrychodd o'i gwmpas. Roedd y siaradwraig yn syllu arno'n ddisgwylgar wrth y prif fwrdd.

Gwenodd y siaradwraig. 'Ychydig bach yn swil

ydi o, rwy'n siŵr. Dewch yn eich blaen, Mr Brown, i dderbyn eich gwobr am lwyddo i gael y marciau uchaf erioed ym mhrawf yr Athrofa.'

Roedd pawb yn curo dwylo. Cododd Jac yn drwsgwl a cherdded yn anfodlon at flaen y neuadd.

Ar ôl i'r sŵn dawelu, cyflwynodd y siaradwraig – gwraig ddifrifol iawn yr olwg a wisgai siwt dywyll – darian fechan iddo ac ysgwyd ei law yn frwdfrydig. 'Rwy'n deall mai adran ffiseg cwantwm y prawf roddodd y marciau gorau i chi, Jac. Fyddech chi'n fodlon ateb rhai o gwestiynau'r gynulleidfa am y maes hwnnw?'

Llyncodd Jac yn galed. Roedd merch a eisteddai wrth y bwrdd cyntaf newydd godi ei llaw. 'Mae gen i gwestiwn am y gwefrau mecanyddol isficrosgopig a geir mewn haenau o atomau crisialau.'

Roedd yr ystafell yn dawel fel y bedd. Cnodd Jac ei wefus. 'Rydw i … ym … mae'n … hynny yw …'

Safodd Sam ar ei draed. 'Gwrandewch, pam ydych chi'n trafferthu gofyn y fath gwestiynau plentynnaidd iddo? Mae Jac wedi hen orffen gyda'r maes hwnnw. Ar hyn o bryd mae'n gweithio ar arbrawf sy'n ymwneud â rhyngweithiadau electromagnetaidd sy'n cyfnewid gronynnau ymddangosol mewn grymoedd disgyrchedd.'

Aeth ton o furmur cyffrous o gwmpas yr ystafell wrth i'r gynulleidfa ddechrau curo dwylo'n frwd. Ymgrymodd Jac cyn dychwelyd yn sydyn i'w sedd.

Winciodd Sam arno. Edrychodd Jac i gyfeiriad y drws. Pan alwodd y siaradwraig ar y myfyriwr nesaf, bachodd y ddau eu pethau a'i heglu hi am y drws.

Y tu allan, pwysodd Jac yn erbyn y wal a thynnu anadl o ryddhad. 'Diolch am fy achub i. Sut oeddet ti'n gwybod?'

'Amau oeddwn i. Does gan rywun sy'n galw gorsaf delegyfathrebu arloesol yn "llwyth o wifrau a thiwbiau" fawr o ddiddordeb mewn ffiseg, dybiwn i!'

'Felly, mae'n debyg dy fod ti'n dyfalu sut gebyst yr enillais i le ar y trip yma, a finnau'n bell o fod yn glyfar fel y gweddill ohonoch chi.'

Ysgydwodd Sam ei ben. 'Nac ydw, a dweud y gwir. Mae angen tipyn o ben ar rywun i dwyllo fel yna.'

Arhosodd Jac y tu allan i ddrws y labordy. 'Wyt ti'n barod?' holodd Sam.

'Wrth gwrs. Ac wedi i ti orffen busnesa yn y fan yma, i ffwrdd â ni am yr arcêd.'

Gwthiodd Sam y drws yn araf. Roedd y labordy'n wag.

Cerddodd y ddau i gefn yr ystafell ac at y bwrdd gwydr lle'r oedd arbrawf Dr Craniwm. Gollyngodd Sam ei fag ar y llawr ac estyn ei lyfr nodiadau.

Gwyliodd Jac Sam yn archwilio'r peiriant ac yn taro nodiadau'n gyflym yn ei lyfr. Edrychodd Jac ar ei oriawr ac yna dechrau chwyrlïo'i bêl ar ben ei fysedd. Roedd hi'n dal yn ddigon cynnar. Byddai'r arcêd yn agored am o leiaf deirawr arall.

Edrychodd ar Sam unwaith eto. Roedd o wedi teipio rhywbeth i fol y cyfrifiadur ac yn gwisgo'r ddyfais Plygu Amser am ei ben. 'Hei, beth wyt ti'n wneud? Fe ddywedodd y dyn mai gweithio ar bapur yn unig mae hwnna.'

'Fe wn i. Dim ond tynnu coes ydw i. Paid â phoeni.' Trodd Sam y cloc funud yn ei ôl a tharo'r botwm.

Ddigwyddodd dim.

''Sgwn i beth mae o'n ei wneud o'i le?'

'Pwy?' Cododd Jac wialen ffibr dryloyw oddi ar un o'r byrddau ac edrych drwy un pen iddi.

'Dr Craniwm. Mae'r peiriant yma'n anhygoel, ond mae arno angen un peth arall cyn y gwnaiff o weithio.'

'Wn i ddim amdanat ti, ond rydw i'n ysu am

fynd i'r arcêd. Wyt ti wedi gorffen bellach?'

'Bron iawn. Gad imi sgrifennu un neu ddau o bethau eraill, ac yna fe awn ni.'

Daeth Jac yn nes at Sam i weld beth oedd o'n ei wneud. Sylwodd ar dwll crwn bychan ym mhen uchaf y Plygwr Amser. Rhoddodd y wialen ffibr yn y twll a throi bysedd y cloc yn ôl yn ddifeddwl wrth wylio Sam yn ysgrifennu rhagor o nodiadau. 'Mae hwn yn edrych yn llawer iawn gwell gyda chorn am ei ben, wyt ti'n cytuno? Gwneud iddo edrych yn fwy gwyddonol.'

'Beth ddwedaist ti?' mwmiodd Sam gan godi ei fag. 'Fe awn ni rŵan. Rydw i wedi dysgu hynny fedra i o'r hyn sydd yn y lle yma.'

'Go dda.' Camodd Jac yn ei ôl er mwyn i Sam gael digon o le i dynnu'r ddyfais oddi ar ei ben. Ond wrth iddo symud, pwysodd yn ôl yn ddamweiniol a tharo botwm y peiriant amser.

'Arswyd y byd! Beth sy'n digwydd?' Estynnodd Sam am fraich Jac. 'Diffodd y peth yma, wir. Rydw i'n ... diflannu!'

Pennod 6

Roedd Sam yn dal i afael yn dynn ym mraich Jac, ond doedden nhw ddim yn y labordy bellach. Roedd y ddau'n sefyll ar ymyl ffordd dywodlyd, anial.

Agorodd Jac ei geg led y pen mewn syndod a gollyngodd ei bêl yn glewt ar y llawr. Neidiodd mewn braw pan glywodd sŵn dieithr wrth ei ymyl. Byfflo enfawr oedd yno – roedd gyr ohonyn nhw'n pori ar lain o laswellt ar lan afon. Yn y pellter gallai weld copa pigfain rhyw fynydd. 'Rydw i'n amau'n gryf nad yn Kansas ydan ni rŵan,' meddai.

'Rydan ni yn yr Aifft.' Pwyntiodd Sam at

amlinelliad y 'mynydd'. 'Pyramid ydi hwnna. Fedra i ddim credu'r peth! Arna i mae'r bai am hyn i gyd. Fe wnes i droi'r Plygwr Amser funud yn ei ôl, a hynny i Gairo, pan oeddwn i'n chwarae o gwmpas yn y labordy.' Trodd Sam at Jac. 'Wyddost ti beth mae hynny'n ei olygu?'

'Ein bod ni mewn trwbwl?'

'Na.' Llithrodd bag Sam o'i ddwylo. 'Mae hyn yn golygu bod peiriant Dr Craniwm yn gweithio! Ti a fi ydi'r ddau gyntaf erioed i blygu amser. Afon Nîl ydi honna, mae'n siŵr, ac mae'n rhaid bod dinas Cairo dros y bryn yn y fan acw.' Ysgydwodd Sam ei ben fel petai'n ceisio chwalu llwch oddi ar ei ymennydd. 'Rydw i ar bigau'r drain eisiau dweud wrth y doctor fod ei arbrawf yn llwyddiant. Hen dro nad oes ganddon ni amser i grwydro ychydig. Fe allen ni fod wedi mynd â rhywbeth gyda ni iddo fo – anrheg o ryw fath.'

'Pam nad oes ganddon ni amser?'

'Rydw i wedi dweud wrthat ti unwaith. Dim ond munud sy ganddon ni. Fe fyddai'n well inni aros yn ein hunfan yma er mwyn i'r peiriant ddod i'n nôl i'r un lle.'

'O … ym … Sam, wyddost ti'r peiriant yna …'

'Dal dy afael.' Edrychodd Sam ar ei oriawr. 'Fe fydd o'n mynd â ni'n ôl unrhyw funud rŵan.'

Roedd y byfflo yn brefu'n fodlon gerllaw.

Tarodd Sam wyneb ei oriawr. 'Dyna ryfedd. Fe ddylai'r peiriant fod wedi cyrraedd bellach.'

'Beth petai yna rhyw broblem ym mol y peiriant?' holodd Jac yn lletchwith. 'Beth petai o wedi penderfynu peidio mynd â ni'n ôl?'

'Wnes i ddim meddwl am hynny ynghanol y cyffro yma i gyd. Efallai dy fod yn llygad dy le. Wedi'r cyfan, dyma'r tro cyntaf i'r peiriant blygu amser.' Estynnodd Sam am ei fag. 'Paid â phoeni. Fe roddodd Dad ei gerdyn credyd i mi. Fe gerddwn ni i Gairo ac archebu dwy sedd ar yr awyren gyntaf aiff â ni'n ein holau.'

'Gobeithio y medrwn ni wneud hynny, wir.'

'Pam lai?'

'Y peiriant ... Cyn i ni ddiflannu fe wnes i ...'

Daeth sŵn carnau fel taranau ar hyd y ffordd gul, gan eu gadael yn pesychu mewn cwmwl o lwch.

'Dyna ryfedd.' Roedd golwg ddryslyd iawn ar Sam wrth i'r cwmwl o lwch chwyrnu heibio. 'Wyddwn i ddim eu bod nhw'n dal i ddefnyddio ceirt a cheffylau rhyfel yn yr Aifft hyd heddiw. Sylwaist ti ar ddillad y boi yna hefyd? Roedd o'n edrych fel petai o newydd gamu oddi ar dudalennau llyfr hanes.'

'Do, fe welais i o,' atebodd Jac yn ddigalon.

'Beth sy'n bod? Fe wna i'n siŵr y bydd popeth

yn iawn. Wedi'r cyfan, dydyn ni ddim yn gaeth yma na dim byd felly ...'

Sychodd Jac y dafnau chwys oddi ar ei dalcen ac edrych i lawr y lôn. Roedd haid fechan arall o geirt, gyda cheffylau duon mawr yn eu tynnu, yn rhuthro'n wyllt tuag atynt. 'Faint wyddost ti am yr hen Aifft, Sam?'

'Ychydig bach. Mae 'nhad yn archaeolegydd ac mae o wedi dysgu rhywfaint i mi. Pam?'

'Efallai 'mod i'n anghywir, ond rydw i'n siŵr y bydd yr wybodaeth yn ddefnyddiol inni rŵan.'

Roedd y ceirt wedi ffurfio cylch o amgylch y bechgyn erbyn hyn.

Camodd gŵr gwyllt yr olwg gyda chyhyrau anferth, pen moel a thorch aur o amgylch ei fraich oddi ar un o'r ceirt. Roedd yn gwisgo sgert wen, gwta gydag ymylon aur arni. Cerddodd y gŵr o amgylch y ddau fachgen, ond gan gadw'n ddigon pell oddi wrthynt ar yr un pryd. Ar ôl iddo orffen eu harchwilio, cododd ei ên a phlethu'i freichiau. 'Fi yw'r Cadfridog Horemheb, y gwir ysgrifennydd, a ffefryn y brenin. Dau lygad brenin yr Aifft gyfan, is-raglyw Tutankhamen wych a phwerus, y prif arolygwr a'r uchaf ei barch gan arglwydd y wlad gyfan.'

'Wyt ti'n meddwl y dylen ni guro dwylo neu rywbeth?' sibrydodd Jac wrth Sam.

Gwasgodd Sam ei lygaid ynghau cyn eu hagor yn araf bach. 'Dydi hyn ddim yn digwydd go iawn. Dydi o ddim yn wir.'

Cododd yr arweinydd ei fraich a neidiodd dau filwr oddi ar gert. Gwthiodd y milwyr y bechgyn nes eu bod ar eu trwynau bron, yn moesymgrymu o flaen y gŵr.

'Mae'r cyfan yn teimlo'n ddigon gwir i mi.' Estynnodd Jac am ei bêl.

'Ond dydi hyn ddim yn bosibl,' sibrydodd Sam. 'Glywaist ti beth ddwedodd o? Ei fod o'n gweithio i Tutankhamen.'

'Ie, beth am hynny?'

'Tua 1360 cyn Crist yr oedd Tutankhamen yn llywodraethu yn yr Aifft.'

Pennod 7

Caeodd drws y carchar yn glep y tu ôl iddyn nhw. Roedd y gwarchodwr wedi taflu Jac i gornel fudr. Cododd ar ei draed. 'Wyt ti'n iawn, Sam?' gofynnodd.

'Ydw, ond fedra i ddim credu'r helynt yma. Petaen ni ond wedi aros yn y swper, fyddai dim o hyn wedi digwydd.'

'Does dim cymhariaeth rhwng hen swper diflas a reid mewn cert Eifftaidd hynafol, siŵr iawn! A beth bynnag, nid arnat ti mae'r bai am hyn.'

'Beth wyt ti'n feddwl?'

'Ychydig eiliadau cyn inni ddiflannu, fe ges i'r syniad gwych yma sut i drawsnewid y Plygwr

Amser. Fe stwffiais i wialen ffibr i mewn i dwll yn y peiriant.'

'Dargludydd?' Neidiodd Sam ar ei draed. 'Dyna'r cyfan oedd ar y peiriant ei angen?' Gwgodd. 'Ond dydi hynny ddim yn egluro'r newid amser, oni bai ...'

'Fe wnes i ffidlan gyda'r cloc hefyd, a'i droi yn ei ôl. Wn i ddim faint yn union.'

'O leia rydan ni'n gwybod nad ydi'r peiriant wedi torri. Mae hynny'n newyddion da. Petai'r Eifftwyr yn rhoi ein heiddo'n ôl i ni, fe allwn i geisio mynd â ni'n ôl adref, i'r presennol.'

'Os na chawn ni ein lladd cyn hynny! Yli pwy sy'n dod.'

Daeth gwarchodwr difrifol iawn yr olwg i sefyll y tu ôl i'r drws. 'Mae ei fawrhydi, y pharo Tutankhamen, yn dymuno cyfarfod y dieithriaid dinod.'

'Anhygoel.' Cydiodd Sam yn llawes Jac. 'Rydw i newydd ddarganfod un arall o wyrthiau'r Plygwr Amser. Mae'r boi yma'n siarad Eiffteg, a rhywsut rydan ni'n medru deall bob gair!'

'Gwych! Fe fyddwn ni'n deall gorchymyn y brenin pan fydd o am i rywun dorri'n pennau ni, felly.'

Agorodd y gwarchodwr y drws. 'Dewch gyda mi.'

Dilynodd y ddau fachgen y gwarchodwr i fyny'r grisiau carreg. Roedden nhw'n cofio syrthio'n bendramwnwgl i lawr y grisiau beth amser ynghynt. Ond y tro yma, trodd y tri a cherdded i mewn i ystafell enfawr gyda waliau euraid iddi.

Roedd tair gris yn arwain i fyny at lwyfan uchel, gyda gorsedd gerfiedig arno. Ar yr orsedd hon yr oedd y pharo'n eistedd. Gwisgai benwisg o liw glas ac aur, ac o amgylch ei wddf roedd ganddo goler euraid yn ymestyn dros ei ysgwyddau. Roedd cylchoedd o golur du siâp almwn o gwmpas ei lygaid. Edrychai'n ddifrifol iawn.

Roedd yr is-raglyw, Horemheb, criw o warchodwyr a thair morwyn yn sefyll wrth yr orsedd. Rhoddodd y pharo glec i'w fysedd a dechreuodd un o'r morynion chwifio gwyntyll o blu paun uwch ei ben.

'Dacw nhw, ein pethau ni.' Cyfeiriodd Sam at y bwndel ar waelod y tair gris.

'Rhaid i garcharorion gael caniatâd cyn siarad yng ngŵydd ei fawrhydi.'

Gwthiodd y gwarchodwr y ddau fachgen yn eu blaenau. 'Mae'n rhaid i garcharorion dalu gwrogaeth i'r brenin.'

Moesymgrymodd Sam a Jac.

'Fe gewch ganiatâd i godi,' meddai llais ifanc wrth y ddau fachgen.

Cododd Jac ei ben a syllu i fyw llygaid y pharo. Doedd o fawr hŷn na deuddeg oed! 'Ond dim ond hogyn ydi o.'

'Tawelwch!' Pwniodd y gwarchodwr goes gwaywffon i asennau Jac.

Cododd y brenin ifanc ei law, a oedd wedi'i gorchuddio â gemau gwerthfawr. 'Fe gaiff y carcharorion yma ganiatâd i siarad.' Edrychodd ar y bechgyn. Roedd golwg wedi hen ddiflasu arno. 'Dywedwch wrthyf, i ddechrau, o ba wlad yr ydych yn dod. Yna, eglurwch beth yn union yw'r anrhegion rhyfedd hyn.' Cyfeiriodd at y bwndel ar y grisiau.

Nesaodd Sam at ei fag. 'Rydyn ni wedi dod o bell, eich mawrhydi, o wlad yn y Gorllewin. Ond nid yw'r pethau hyn yn ddigon da i chi, pharo. Ein heiddo pitw ni ydyn nhw. Ein hunig anrhegion i chi yw'r wybodaeth sydd gennym am fywyd yn y Gorllewin.'

'Anrhegion i mi ydyn nhw!' mynnodd Tutankhamen. Eisteddodd ar flaen ei orsedd gyda gwg flin ar ei wyneb. 'Yn awr, fe gewch chi egluro i'r llys sut maen nhw'n gweithio.'

'Fe fyddai'n well inni ufuddhau i hwn,' sibrydodd Jac. 'Mae o'n dechrau gwylltio.'

'Ond mae'n rhaid imi gael yr offer yna'n ôl, neu awn ni byth adref,' cwynodd Sam.

'Gad di hyn i mi.' Cododd Jac ei beiriant cryno-ddisgiau. 'Gwrandewch ar hwn, eich mawrhydi.'

Ond wrth iddo gamu at y pharo, gwthiodd y gwarchodwr waywffon hir o'i flaen.

'Gad iddo ddod yn nes,' gwaeddodd Tutankhamen. Camodd y gwarchodwr o'r neilltu yn syth.

'Gwisgwch y pethau yma ar eich clustiau, fel hyn.' Gosododd Jac y cyrn gwrando dros benwisg y brenin.

'Does dim byd yn digwydd,' meddai'r pharo'n bwdlyd.

Pwysodd Jac fotwm ac agorodd llygaid y pharo led y pen. 'Anhygoel! Sut wnest ti hynna?'

'Hawdd.' Pwysodd Jac y botwm i'w ddiffodd.

'Mae'n rhaid fod pobl yn dy alw'n ŵr doeth iawn yn dy wlad dy hun. Beth arall fedri di ei ddangos i mi?'

'Fe fedra i ddangos i chi sut i chwarae'r gêm orau yn y byd.'

Eisteddodd Tutankhamen yn ei ôl gan ddal i archwilio'r peiriant cryno-ddisgiau. 'Mae gêmau'n fy niflasu i.'

'Wnaiff hon ddim eich diflasu.' Cododd Jac ei bêl a'i chwyrlïo ar un bys. 'Rydw i angen help er mwyn dangos i chi sut i'w chwarae'n iawn. Eich mawrhydi, ga i fenthyg rhai o'ch gwarchodwyr chi?'

Chwifiodd y pharo ei ddwylo'n ddiamynedd. Gosododd dau warchodwr eu gwaywffyn ar y llawr a chamu 'mlaen.

'Iawn. Fel hyn mae gwneud. Mae'n rhaid i chi'ch dau geisio fy arbed i rhag mynd â'r bêl …' Edrychodd Jac o'i amgylch. Ym mhen arall y llys, wrth y nenfwd, roedd cylch carreg wedi ei gerfio gerfydd ei ochr i'r wal. 'Mae wedi ei droi i'r cyfeiriad anghywir, ond ta waeth. Ceisiwch chi fy arbed i rhag rhoi'r bêl drwy'r cylch yn y fan yna.'

Cydiodd y gwarchodwr mwyaf yn Jac a dwyn y bêl oddi arno.

'Na, nid fel'na. Y rheol gyntaf ydi hon – chewch chi ddim cyffwrdd pwy bynnag sy'n gafael yn y bêl.' Gollyngodd y gwarchodwr Jac. 'Dyna ni. Ydi pawb yn barod?' Dechreuodd Jac fownsio'r bêl. Estynnodd y gwarchodwr arall amdani ond bownsiodd Jac hi o dan ei goes yn gelfydd.

Curodd y pharo ifanc ei ddwylo. 'Tric da iawn. Beth sy'n digwydd nesaf?'

'Sgorio.' Smaliodd Jac wyro i'r chwith cyn rasio drwy ganol yr ystafell, heibio i'r gwarchodwyr. Ym mhen arall y llys saethodd at y wal a syrthiodd y bêl drwy ganol y cylch carreg. 'Hw-rê! A dyna Brown yn sgorio eto!'

Roedd cysgod gwên ar wyneb Tutankhamen. 'Mae hon yn gêm ryfedd iawn. Dysgwch holl warchodwyr y brenin sut i'w chwarae.'

'Eich mawrhydi.' Camodd Horemheb yn ei flaen. 'Ydych chi'n meddwl ei bod hi'n ddoeth i chi adael i'r dieithriaid hyn aros yn y palas? Efallai mai ysbïwyr ydyn nhw.'

'Tawelwch. Dyna yw fy ngorchymyn.' Trodd y brenin at Jac. 'Beth yw dy enw, ŵr doeth?'

'Brown. Jac Brown.'

Cododd Tutankhamen ar ei draed. 'O hyn ymlaen, bydded i bawb yn y wlad wybod fod Brown Jac Brown yn un o brif wŷr doeth fy llys.'

Pennod 8

'Chwarae teg i'r brenin. Mae hon yn stafell go lew, tydi? Edrych ar yr addurniadau. Delw o bwy ydi hwn, tybed? Mae'r creadur druan yn debyg iawn i grocodeil yn gafael mewn ffon.'

Nid atebodd Sam. Roedd o'n brysur iawn yn gwagio'i fag canfas brown. 'Edrych, Jac. Mae 'nghyfrifiadur symudol i'n gweithio.'

'Oes raid i ni wneud hyn rŵan? Wedi'r cyfan, gan nad ydan ni mewn perygl bellach, fe allen ni fynd allan am dro – i weld rhai o'r pyramidiau, neu'r Sphincs efallai.'

'Wn i ddim. Welaist ti'r Horemheb yna yn syllu

arnon ni pan alwodd Tut ti'n ŵr doeth?'

'Fe wnaiff y brenin ofalu amdano fo. A beth all o ei wneud p'run bynnag?'

'Os ydw i'n cofio fy ngwersi hanes, fe fu Tutankhamen farw'n ŵr ifanc. Pan ddaethon nhw o hyd i'w gorff, roedd rhywun wedi waldio'i benglog yn ddidrugaredd. Roedden nhw'n amau tri o bobl – ewythr oedrannus, y frenhines, a Horemheb, a ddaeth yn pharo ymhen amser.'

Agorodd Jac ei lygaid led y pen. 'Y frenhines ddywedaist ti?'

Nodiodd Sam ei ben. 'Mae Tut wedi priodi.'

'Wedi priodi ... merch?'

'Wrth gwrs. Fe briododd â thywysoges ddeuddeg oed pan oedd o'n naw neu ddeg oed. Roedden nhw'n priodi'n ifanc iawn ers talwm.'

'Fe greda i.' Eisteddodd Jac ar y gwely pren, caled. 'Beth sy'n gwneud iti amau fod Horemheb am ein gwaed ni?'

'Mae gen i'r teimlad ym mêr fy esgyrn nad ydi o'n hoff iawn o unrhyw un sy'n drysu ei gynllwyniau. Rwy'n credu y dylen ni geisio mynd oddi yma cyn gynted ag y medrwn ni.'

Eisteddodd Jac am ychydig funudau yn gwylio Sam yn cysylltu gwifrau ei gyfrifiadur. Ochneidiodd. 'Gan nad ydw i'n gwneud dim byd o werth yma, waeth i mi fynd am dro bach. Ond paid â phoeni, fe fydda i'n fachgen da!'

Cyn i Sam gael cyfle i anghytuno, roedd Jac wedi mynd drwy'r drws. Gwelodd ddrws arall a oedd yn arwain at fuarth agored; roedd o ar fin cerdded i mewn pan welodd ferch ifanc yn stelcian ar draws yr ardd flodau cyn oedi wrth y giât. Edrychodd yn ofalus i'r dde, ac yna i'r chwith, cyn sleifio drwyddi.

Cerddodd Jac ar ei hôl yn gyflym ar draws y buarth ac edrych dros y giât. Gwelodd y ferch yn diflannu trwy ddrws ochr rhyw adeilad mawr i lawr y lôn.

Dwy eiliad gymerodd Jac i benderfynu ei dilyn.

Roedd y drws yn ei arwain ar hyd coridor tywyll, gyda ffagl yn llosgi yn y pen draw. Gallai Jac glywed lleisiau aneglur o'i flaen yn rhywle. Symudodd yn nes at y sŵn.

O'r tywyllwch, teimlodd Jac law fechan yn gafael yn ei law ef ac yn ei dynnu drwy ddrws cudd. Dechreuodd brotestio, ond gwelodd y ferch yn codi ei bys at ei gwefusau.

Cafodd Jac ei arwain i fyny grisiau serth at falconi tywyll. O'r fan honno roedden nhw'n medru gweld yr ystafell oedd o danynt yn glir. Yno, roedd y Cadfridog Horemheb a nifer o ddynion wedi eu gwisgo fel offeiriaid yn siarad â'i gilydd.

'Dydi'r ffaith fod ei dad yn heretic ddim yn ddigon? Pam na ddefnyddiwch chi hynny yn ei erbyn? Fe wnaiff y bobl wrthryfela wedyn.'

'Fy Arglwydd Horemheb,' atebodd yr offeiriad hynaf. 'Fe wyddoch yn dda ein bod yn cefnogi eich cais i ddiorseddu'r bachgen. Mae'r Aifft yn wobr llawer rhy wych i blentyn. Ond mae mwyafrif y boblogaeth yn hoff iawn ohono. Maen nhw'n credu fod lwc dda a ffyniant wedi dod i'r wlad ar ôl iddo ef gael ei wneud yn frenin.'

'Twt lol!' gwaeddodd Horemheb. 'Wnewch chi mo fy helpu i, felly?'

'Awgrymu yr ydym ni, gadfridog doeth a thrugarog, y byddai'r bobl yn fwy tebygol o droi yn ei erbyn pe baen nhw'n amau ei fod yn dod ag anlwc i'r wlad.'

'Hmmm.' Brasgamodd Horemheb ar draws yr ystafell. 'Fe awn ati ar unwaith. Cynyddwch y gwaith sy'n cael ei wneud ar y beddrod a gostyngwch y dognau bwyd. Codwch bris grawn a chosbwch unrhyw un fydd yn methu cynhyrchu digon.'

'Syniad rhagorol, Gadfridog.' Pesychodd yr hen offeiriad. 'Ac wedi i chi orffen gwneud hyn, fe gyhuddwn ni'r bachgen. Fydd o ddim yn frenin yn hir wedyn.'

'Yna, fel is-raglyw, fe gaf fy ngorfodi i gymryd yr

awenau a dod yn pharo.' Chwarddodd Horemheb. 'Ac wrth gwrs, i gadarnhau mai fi yw'r brenin newydd, bydd yn rhaid imi briodi'r weddw frenhinol.'

Pennod 9

Tynnodd y ferch Jac yn ôl i'r cyntedd, cyn ei arwain drwy'r buarth i gyfeiriad nifer o ystafelloedd moethus. Ar ôl i'r ddau gamu i mewn i un ohonynt, meddai'r ferch, 'Fy stafelloedd preifat i fy hun yw'r rhain. Ddaw neb i darfu arnon ni yma.'

'Sut ydych chi'n gwybod pwy ydw i?'

'Does dim yn cael ei gadw'n gyfrinach am yn hir iawn yn y palas hwn. Rydw i'n deall mai dewin a gŵr doeth o wlad bell ydych chi.'

Gwingodd Jac wrth edrych ar y ferch yn eistedd yn osgeiddig ar gadair ledr. Roedd hi'n anhygoel o dlws. Roedd ganddi wallt tywyll, trwchus a llygaid mawr fel llynnoedd duon.

'Mae'n rhaid bod y duwiau wedi eich gyrru yma i fy helpu i, Brown Jac Brown. Ankhesenpaaten, gwraig Tutankhamen y pharo, ydw i.'

'Chi yw'r frenhines?'

Nodiodd y ferch ei phen. 'Rydych chi newydd glywed am gynllwyn dieflig Horemheb, gwas "ffyddlon" y brenin. Wnewch chi fy helpu i ddrysu'r cynllwyniau ofnadwy hyn?'

Crafodd Jac ei ben. 'Wn i ddim. Fe wnes i addo i fy ffrind y byddwn i'n bihafio, a ph'run bynnag, mae o'n awyddus i adael cyn gynted â ...'

Llifodd deigryn mawr i lawr wyneb perffaith y frenhines. 'Mae hi ar ben arna i, felly. Bydd yn rhaid i mi ddechrau arfer â'r syniad o fod yn wraig i ... i'r Cadfridog Horemheb.'

'Dydw i ddim yn deall. Pam na wnewch chi ddweud y cyfan wrth y brenin?'

Sychodd Ankhesenpaaten ei hwyneb. 'Dydi pethau ddim mor hawdd â hynny. Yn nyddiau tad y brenin, roedd Horemheb yn gadfridog uchel iawn ei barch. Dymuniad olaf y brenin ar ei wely angau oedd mai'r cadfridog fyddai is-raglyw y brenin ifanc newydd. Fyddai Tutankhamen byth yn credu bod Horemheb am ei fradychu.'

'Bydd yn rhaid i ni ddweud y gwir wrth Tut, felly, os ydyn ni am brofi bod y boi yn fradwr.'

'Ni? Rydych yn fodlon fy helpu?' Gafaelodd y frenhines ifanc yn dyner yn llaw Jac.

'Mae'n rhaid i mi siarad â Sam gyntaf. Gobeithio y gwnaiff o gytuno. Ond peidiwch â chodi'ch gobeithion. Sut y medra i roi ateb i chi?'

'Peidiwch â phoeni, Brown Jac Brown. Fe wna i gysylltu â chi.

Pennod 10

'Sam, wnei di fyth gredu beth sydd newydd ddigwydd!' Rhuthrodd Jac i'r ystafell a sefyll yn stond yn ei unfan. Ar y gwely pren gwelai gyfrifiadur Sam wedi ei gysylltu i ryw fath o ddysgl lloeren fechan. Roedd oriawr Sam yn sownd wrth glamp, a hwnnw'n sownd i'r allweddellau.

'Rwyt ti wedi bod yn brysur!'

'Rydw i'n meddwl 'mod i wedi taro'r hoelen ar ei phen y tro yma, Jac. Wnaiff y ddyfais yma ddim mynd â ni'n ôl, ond efallai y medrwn ni gysylltu â Phlygwr Amser Dr Craniwm a'i orchymyn i ddod i'n nôl.'

'Pryd fydd y peiriant yn barod?'

'Dwyt ti ddim yn swnio'n rhy awyddus i adael y lle yma.'

'Rydw i wedi cyfarfod merch, weli di ...'

'Paid â phoeni. Mae 'na ddigon o'r rheiny yn ein presennol ni!'

Eisteddodd Jac ar y gwely arall. 'Rwyt ti wedi camddeall. Mae hon wedi priodi. A dweud y gwir, hi ydi brenhines yr Aifft.'

Plethodd Sam ei freichiau. 'Roeddwn i'n meddwl dy fod di wedi addo peidio creu unrhyw helynt.'

'Wnes i ddim. Rhywun arall sy'n creu'r helynt i'r frenhines – neb llai na Horemheb. Fe glywson ni'r cadfridog yn dweud ei fod am gael gwared â Tut a phriodi'r frenhines.'

'Tyrd yn dy flaen, Jac. Fedrwn ni ddim busnesa. Fedrwn ni chwaith ddim newid hanes. Meddylia pa effaith fyddai hynny'n ei gael ar y dyfodol!'

'Fydden ni ddim yn newid hanes, dim ond rhoi hwb bach iddo fo. Ac fe ddwedaist ti y bydd Tut yn frenin am gryn dipyn o amser eto.'

'Bydd, yn ôl y llyfrau hanes.'

'Beth amdani, felly? Gwneud dim ond un peth

bach cyn mynd?'

'Oes gen ti ryw syniad sut i fynd o'i chwmpas hi?'

Ysgydwodd Jac ei ben. 'Ti ydi'r arbenigwr yn y maes hwnnw.'

'Pam na wnewch chi ddweud wrth Tut?'

'Fyddai o byth yn gwrando, yn ôl y frenhines.'

Clywodd y ddau sŵn curo ysgafn ar y drws. Neidiodd Jac oddi ar y gwely a'i agor. Roedd morwyn ifanc yn sefyll yno.

'Mae fy meistres am imi ddweud wrthych fod y pharo Tutankhamen a'i wraig Ankhesenpaaten yn cynnal gwledd heno, er anrhydedd i chi. Fe ofynnodd imi ddweud wrthych y bydd yr is-raglyw yno hefyd.' Moesymgrymodd y ferch cyn gadael.

Caeodd Jac y drws. 'Mae hi am inni ddatgelu cynllwyn y cadfridog yn y wledd heno, mae'n rhaid. Ond sut?'

Curodd Sam ei ddwylo. 'Mae gen i syniad. Rydw i newydd gofio am hen draddodiad Eifftaidd. Tyrd, mae 'na waith caled o'n blaenau.'

Pennod 11

'Estyn un o'r ffrwythau yna i mi, Sam.'

'Beth sy'n bod? Dwyt ti ddim am flasu tamaid mawr o'r pen llo yna? Mae'r llygaid yn edrych yn flasus tu hwnt,' chwarddodd Sam.

'Ych a fi! Blasa di o. Mae'n well gen i fwyd sydd ddim yn syllu'n ôl arna i wrth imi ei fwyta.'

Trodd Tutankhamen at ei ddau westai. 'Mae'r Cadfridog Horemheb newydd awgrymu nad ydym yn trin ein caethweision yn ddigon llym. Sut ydych chi'n trin caethweision yn eich gwlad chi?'

'Does ganddon ni ddim caethweision. Mae pawb yn gofalu amdano'i hun yn ein gwlad ni,' atebodd Jac.

'Am syniad diddorol.' Plygodd y brenin ymlaen yn nes at y ddau. 'A phwy sy'n codi'r beddrodau a'r temlau?'

'Gweithwyr,' meddai Sam. 'Ond dydyn nhw ddim yn cael eu gorweithio, ac maen nhw'n cael tâl eitha da am eu gwaith. Wrth gwrs, rydyn ni'n gwybod mai dyna sut mae eich mawrhydi yn trin ei bobl hefyd. Fyddech chi ddim am i unrhyw un ddweud eich bod yn ceisio eu twyllo nhw, fyddech chi?'

Roedd Horemheb yn wyllt fel cacwn erbyn hyn. 'Peidiwch â gwrando ar y dieithriaid hyn, eich mawrhydi. Fe fyddai eu syniadau estron yn dinistrio'r Aifft.'

'Dyma'n cyfle ni,' sibrydodd Sam. Cododd ar ei draed a tharo'r bwrdd yn galed. 'Ydych chi'n dwyn gwarth ar westai anrhydeddus ei fawrhydi?'

Roedd Horemheb yn chwys domen. 'Dim ond ceisio ...'

'Mae'n ddrwg gen i, gyfaill. Rydych chi wedi codi cywilydd mawr ar y ddau ohonom, ac felly rydym am ichi dderbyn her – rhyw fath o gystadleuaeth.'

Gafaelodd y frenhines ym mraich Jac. 'Yn ôl ein cyfreithiau ni, mae'r sawl sy'n colli cystadleuaeth o'r fath yn cael ei yrru'n syth i garchar, a hynny am oes. Ydi eich ffrind yn gwybod hynny?'

Llyncodd Jac ei boer yn galed. 'Gobeithio ei fod o, wir.'

Roedd Horemheb wedi codi ar ei draed erbyn hyn. 'Rwy'n derbyn eich her. Pa gystadleuaeth fydd hi?'

Trodd Sam yn hyderus at Jac a phlethu ei freichiau. 'Gêm o bêl-fasged.'

PENNOD 12

Yn nau ben y neuadd, roedd Sam a Jac wedi gosod polion uchel gyda rhwydi wedi eu clymu wrthyn nhw.

'Eich mawrhydi, oes unrhyw un wedi gosod her i ... chwarae gêm o'r blaen? Dydi'r fath beth ddim yn bosibl,' poerodd Horemheb. 'Gorchmynnwch y dieithriaid hyn i ddewis cystadleuaeth sy'n fwy anrhydeddus.'

'Beth sy'n bod, Gadfridog?' Eisteddodd Sam yn ei ôl i wylio Jac yn bownsio'r bêl ar y llawr carreg. 'Oes arnoch chi ofn?'

'Rhag eich cywilydd chi!' chwyrnodd Horemheb. 'O'r gorau. Fe wna i eich curo chi'n rhacs yn eich gêm wirion. Ac yna fe dalwch chi'n ddrud am eich hyfdra ...'

'Arhoswch.' Torrodd Tutankhamen ar eu traws. 'Gan mai chi osododd yr her ...' meddai gan gyfeirio at Sam, '... mae'n rhaid i chithau chwarae hefyd.'

'Fi?' gwichiodd Sam. 'Mae'n ddrwg gen i, eich mawrhydi, ond tydi camp y bêl-fasged ddim yn barod am Sam Griffin.'

'Paid â phoeni, Sam.' Tarodd Jac ysgwydd ei gyfaill. 'Fe chwaraewn ni ddau-yn-erbyn-dau a'u maeddu nhw'n rhacs.'

'Dwyt ti ddim yn deall, Jac. Fedra i ddim, o ddifri.'

'Dyna ddigon.' Symudodd Tutankhamen at ei orsedd. 'Ti.' Cyfeiriodd at y goruchwyliwr a oedd wedi chwarae'r gêm gyda Jac yn gynharach. 'Fe gei di helpu Horemheb. Dechreuwch chwarae!'

'Hwda.' Rhoddodd Jac y bêl i Sam. 'Fe gymerwn ni'r bêl i ddechrau. Tafla hi i mewn.'

Symudodd Jac i'r cwrt. Camodd Horemheb o'i flaen a llithrodd Jac y tu ôl iddo. 'Tafla hi, Sam.'

Taflodd Sam y bêl â'i holl nerth. Gwibiodd fel mellten dros bennau pawb. Y gwarchodwr gafodd afael ynddi yn y diwedd. Cododd y bêl a gafael ynddi'n dynn yn ei freichiau. 'Beth nesaf, Gadfridog?'

'Rhed at y fasged a'i thaflu i mewn, y ffŵl.'

Daliodd y gwarchodwr y bêl yn dynn wrth ei fynwes a rhedeg ar draws y cwrt. Roedd Jac a Sam yn aros amdano. Ceisiodd sgorio sawl gwaith, ond roedd y bechgyn yn llwyddo i ddod rhwng y bêl a'r cylch bob tro. Trodd y gwarchodwr at Horemheb. 'Fedra i ddim, Feistr.'

Rhuthrodd Horemheb ar draws y cwrt a hyrddio yn erbyn y ddau fachgen gan eu taflu yn erbyn y wal. Taflodd y gwarchodwr y bêl drwy'r cylch yn gwbl ddidrafferth.

'Dyna ni.' Sychodd Horemheb ei ddwylo yn ei gilydd. 'Ni sy'n fuddugol yn eich gêm ddwl. Fe ddylai hyn fod yn wers i chi – peidiwch byth â bygwth Horemheb eto.'

Safodd Jac a cheisio cael ei wynt ato. 'Nid … dyna'i … diwedd hi, Gadfridog. Am nad oes ganddon ni na dyfarnwr na chloc, y tîm cyntaf i sgorio un ar hugain fydd yn fuddugol.'

'Pam na soniodd neb am hyn o'r blaen?'

'Hefyd,' tynnodd Jac y bêl o'r fasged, 'chewch chi ddim dal y bêl a rhedeg yr un pryd. Rygbi ydi'r gêm honno. Mae'n rhaid i chi fownsio'r bêl drwy'r amser wrth fynd am y fasged, a chewch chi ddim hyrddio yn erbyn pwy bynnag sy'n ceisio'ch rhwystro, chwaith.'

'Mae'n rhaid rhoi taw ar hwn. Chaiff o ddim

ychwanegu rheolau wrth i'r gêm fynd yn ei blaen, neu fe fyddwn ni yma am byth,' meddai Horemheb yn gyhuddgar.

'Oes mwy o reolau, Brown Jac Brown?' holodd Tutankhamen.

'Mae yna ambell reol arall, ond dydw i ddim am wneud y gêm yn rhy galed i'r Cadfridog.'

'O'r gorau. Dyna'r unig reolau. Mae'r gêm i barhau.'

Rhoddodd Jac y bêl yn nwylo Sam. 'Tafla hi i mi y tro yma,' meddai.

'Iawn.' Arhosodd Sam i Jac fynd i'w le ac yna taflodd y bêl i'r cwrt. Bownsiodd, gan daro Horemheb yn ei gefn. Daliodd Jac hi cyn rhedeg nerth ei draed at y fasged a sgorio.

'Un yr un,' galwodd Tutankhamen yn llawn cyffro.

Estynnodd Jac y bêl i Horemheb. Gafaelodd y gŵr mawr ynddi gan wasgu bysedd Jac.

'Gollwng fi, y bwystfil!'

'Esgusodwch fi, westai anrhydeddus. Damwain oedd hi.' Crechwenodd Horemheb a thaflu'r bêl at y gwarchodwr.

Ceisiodd y gwarchodwr ddriblo'r bêl, ond roedd yn ei bownsio'n llawer rhy uchel. Llwyddodd Jac i'w dwyn yn ôl yn hawdd. Rhwystrodd Horemheb ef rhag symud y bêl i lawr y cwrt, felly bownsiodd Jac y bêl i gyfeiriad Sam. Collodd Sam ei afael yn y bêl nes iddi hedfan i ganol y bwrdd brenhinol. Tasgodd gwin ar hyd gwisg ddrudfawr y frenhines.

Rhuthrodd Jac ati i nôl y bêl. 'Mae'n ddrwg gen i, eich mawrhydi. Ond cofiwch fod y cyfan am reswm da.'

'Gobeithio'n wir,' atebodd hithau. Rhedodd y morynion ati i sychu'r gwin oddi ar ei gwisg.

Taflodd Jac y bêl at Sam. Llwyddodd yntau i'w dal cyn ei thaflu'n ôl yn gyflym.

'Symudiad da. Rwyt ti'n dysgu'n gyflym iawn. Ychydig bach mwy o wersi ac fe fyddi di'n hen law arni.' Saethodd Jac y bêl o ganol y cwrt a sgorio eto. 'Dyna ddwy i ni,' gwaeddodd.

Roedd Horemheb a'r gwarchodwr yn rhedeg i bob cyfeiriad ar hyd y cwrt, ond yn methu'n lân â chael y gorau ar y bechgyn. Roedd Sam yn ymdrechu'n galed iawn i fynd ar draws y ddau tra oedd Jac yn sgorio un ar ôl y llall. Mewn llai na chwarter awr, un deg naw yn erbyn un oedd y sgôr.

'Mae'n … rhaid i mi … gael saib … i drafod gyda fy nghynorthwy-ydd,' meddai Horemheb gan anadlu'n ddwfn.

'Egwyl ydi'r enw ar beth felly, Gadfridog. Ond peidiwch â bod yn rhy hir. Mae Sam a finnau ar bigau'r drain eisiau eich curo'n rhacs.'

Closiodd y ddau Eifftiwr at ei gilydd mewn cornel tra aeth Jac at y bwrdd i nôl diod. Cyffyrddodd y frenhines ei fraich yn dawel. 'Mae rhyw ddrwg yn y caws. Mae'r Cadfridog Horemheb yn feistr ar dwyll. Byddwch yn ofalus.'

'Fe fyddai'n rhaid iddo fod yn ddewin i ennill y gêm yma. Dau bwynt arall a dyna'i ddiwedd o.'

'Wyddoch chi ddim am ei allu. Un tro, gyda dim ond byddin fechan, fe gododd yn erbyn byddin enfawr o Swdaniaid a'u trechu nhw. Dychwelodd yma gyda'r cadfridog Swdanaidd mewn cadwyni.'

'Rydym yn barod,' cyhoeddodd Horemheb yn sychlyd. Roedd y gwarchodwr ac yntau wedi newid lle. Horemheb daflodd y bêl i'r cwrt, i gyfeiriad y gwarchodwr. Symudodd yn gyflym at Jac . Ni cheisiodd y gwarchodwr ddriblo'r bêl i lawr y cwrt. Yn lle hynny, taflodd hi'n ôl at y cadfridog. Plygodd Horemheb yn ei ôl ac anelu'r bêl yn syth i wyneb Jac.

Baglodd Jac a syrthio'n glewt i'r llawr.

'Egwyl!' gwaeddodd Sam. 'Jac, wyt ti'n iawn?' Dim ateb. 'Rydych chi wedi ei daro'n anymwybodol!'

'Wnaeth eich cyfaill ddim dweud bod hynny yn erbyn y rheolau.'

'Wrth gwrs ei fod o!' cyfarthodd Sam.

'Fe wna i orchymyn fy ngweision i'w gario i'r ysbyty,' meddai Tutankhamen yn garedig. 'Mae meddygon gorau'r byd yn gweithio yno. Ond, yn y cyfamser, mae'n rhaid i'r gêm barhau.'

'Parhau?' Trodd Sam i wynebu'r brenin. 'Allwn ni ddim parhau. Mae fy nghyfaill yn anymwybodol!'

'Ond chi, Sam, osododd yr her, yntê?'

'Ie, ond . . . '

Hyrddiodd Horemheb y bêl yn galed i stumog Sam. 'Beth sy'n bod, ddieithryn? Oes arnat ti ofn?'

Pennod 13

Caeodd drws y gell yn glep am yr ail dro y diwrnod hwnnw. Crechwenodd y gwarchodwr a gwthio Sam i mewn, gan gau'r drws y tu ôl iddo. 'Wnei di ddim dianc y tro yma … byth!'

Eisteddodd Sam ar y llawr carreg oer. 'Sut ydw i'n llwyddo i syrthio dros fy mhen a 'nghlustiau mewn helynt o hyd ac o hyd?' meddai wrtho'i hun.

'Fe wyddost ti beth maen nhw'n ddweud am bobl sy'n siarad â nhw eu hunain.'

Neidiodd Sam ar ei draed. 'Jac? Ti sy 'na?'

'Ie. Rydw i yn y gell drws nesa i ti. Fe orchmynnodd y frenhines i'r gwarchodwr ddod â fi i'r carchar ar unwaith wedi i mi ddod ataf fy hun. Chest ti fawr o hwyl ar weddill y gêm, felly?'

'Naddo, a dweud y lleiaf. Fe sgoriodd Horemheb a'r gwarchodwr tua mil o bwyntiau cyn i mi fedru troi. Ches i ddim mynd yn agos at y fasged hyd yn oed.'

'Hen dro, ond o leia wnaethon nhw ddim hanner dy ladd di.'

Ochneidiodd Jac. ''Sgwn i beth wnân nhw gyda ni rŵan?'

'Yn ôl y llyfrau ddarllenais i, fe fyddan nhw un ai yn ein llwgu ni neu'n ein gyrru i weithio yn y chwarel gerrig.'

'Mae'r ddau beth yn swnio mor erchyll â'i gilydd!'

'Aros funud.' Symudodd Sam yn nes at y bariau oedd rhwng y celloedd. 'Ddwedaist ti mai'r frenhines orchmynnodd y gwarchodwr i dy daflu di i'r gell? Roeddwn i'n meddwl ei bod hi o'n plaid ni.'

'A finnau hefyd. Rydw i wedi dysgu fy ngwers, cred ti fi. Y tro nesaf y bydda i'n plygu amser, wna i ddim aros ar ôl i helpu neb.'

'Wyt ti'n meddwl y bydd yna dro nesaf?'

'Mae gen i bob ffydd ynot ti. Os gall unrhyw un ein hachub ni o'r twll yma, ti ydi hwnnw.'

'Rwyt ti'n ffyddiog iawn. Ond ar hyn o bryd,

does gen i'r un syniad sut y medrwn ni ddianc.'

Clywodd Jac sŵn carreg yn crafu yn erbyn y llawr ym mhen pellaf ei gell. 'Beth yn y byd . . ? Mae rhywbeth rhyfedd ar y naw yn digwydd yma, Sam.'

'Hisht.' Gwelodd Jac law fechan yn ei annog i fynd drwy'r bwlch yn y wal.

Camodd Jac yn nes. 'Pwy sy 'na?'

'Does gen i ddim amser i ateb cwestiynau. Brysiwch! Dilynwch fi.'

Pennod 14

'Fe wnes i orchymyn i chi gael eich rhoi yn y gell arbennig hon am fy mod i'n gwybod am y twneli.' Eisteddodd Ankhesenpaaten ar ben y grisiau tywyll. 'Roedd ein hynafiaid yn eu defnyddio i foddi carcharorion pan fyddai'r celloedd yn rhy llawn. Fy nyrs ddywedodd hynny wrthyf fi.'

'On'd oedd eich hynafiaid yn bobl hyfryd!'

'Oherwydd eich bod chi wedi ceisio fy helpu i, rwyf wedi trefnu bod fy nghert a 'nghefiyl cyflymaf yn disgwyl amdanoch wrth giatiau'r palas. Os ewch chi rŵan, fe allech ddianc. Ewch i gyfeiriad y môr. Fe ddaw Horemheb i chwilio amdanoch, ond byddaf yn ei yrru i'r cyfeiriad arall er mwyn i chi gael digon o amser i ddianc.'

'Beth am Sam? Fe wnaeth yntau ei orau i'ch helpu hefyd.'

'Fedra i wneud dim byd dros eich ffrind. Does dim twnnel yn arwain o'i gell ef. Rydw i'n peryglu fy mywyd er eich mwyn chi fel ag y mae hi.'

'Mae'n ddrwg gen i, eich mawrhydi, ond wna i mo'i adael.'

'O'r gorau.' Cododd y frenhines ar ei thraed. 'Rydych chi ar eich pen eich hun o hyn ymlaen. Os bydd rhywun yn holi, byddaf yn gwadu 'mod i wedi ceisio eich helpu.'

'Diolch, beth bynnag … am roi cynnig arni.'

Cymerodd y frenhines gipolwg drwy'r drws i'r cyntedd ar ben y grisiau. Heb droi i edrych yn ei hôl, llithrodd drwy'r drws cyn diflannu i'r tywyllwch.

Rhedodd Jac yn ôl i lawr y grisiau a'i wasgu ei hun drwy'r bwlch yn ôl i'w gell. Gwthiodd y garreg i'w lle, ond gan adael bwlch bach, digon iddo fedru gwthio ei fys iddo.

'Jac, wyt ti yna?' galwodd Sam.

'Ydw, rŵan.'

'I ble'r est ti?'

'Bydd yn dawel. Os gwnaiff y gwarchodwyr dy glywed di, fe ddôn nhw i lawr yma. Gwranda, mae 'na ddrws cudd a thwnnel yma. Roedd

Ankhesenpaaten yn dweud eu bod nhw'n arfer ei ddefnyddio i foddi carcharorion ers talwm.'

'Ankhesenpaaten?'

'Rydw i newydd ei gweld hi. Paid â phoeni am hynny rŵan. Mae'n rhaid i ni feddwl am gynllun. Fe allwn i ddianc drwy'r twneli a dod yn ôl i mewn i dy nôl di. Efallai y medrwn i ddychryn y gwarchodwyr a ...'

'A chael dy ladd am geisio dianc.'

'Oes gen ti syniad gwell?'

'Glywaist ti stori'r gwningen a dwyllodd y cadno?'

'Beth?'

'Waeth i mi roi cynnig arni ... *Does dim rhaid imi dy ddioddef di!*' gwaeddodd Sam. '*Pwy wyt ti'n feddwl wyt ti, yn fy mygwth i fel yna?*'

'Beth sy'n bod arnat ti?' Ceisiodd Jac wthio'i ben rhwng bariau'r gell i gael gwell golwg ar ei gyfaill, ond methodd yn lân. 'Wyt ti'n dechrau colli arnat dy hun?'

'*Warchodwr!*' gwaeddodd Sam nerth esgyrn ei ben. '*Ewch ag o oddi wrtha i. Mae o'n ceisio fy lladd i!*'

Brysiodd y gwarchodwr i lawr y grisiau a gweld Sam yn swatio yn ei gwman yng nghornel ei gell. 'Beth sy'n digwydd yma?'

'Y gwallgofddyn yn y gell drws nesa sy'n bygwth hanner fy lladd i. Mae'n rhaid i chi wneud rhywbeth!'

'Fe waeddaist ti arna i oherwydd rhywbeth bach felly? Does dim modd iddo dy gyrraedd di hyd yn oed. Bydd ddistaw wir, cyn i mi hanner dy ladd *di*.' Trodd y gwarchodwr er mwyn mynd yn ei ôl i fyny'r grisiau.

'Felly dydych chi ddim yn mynd i fy rhoi i yn ei gell o? O, diolch yn fawr iawn i chi. Faswn i ddim wedi byw am ddau funud yn y fath le.'

Safodd y gwarchodwr yn ei unfan. Chwarddodd wrtho'i hun ac estyn ei oriadau. 'Dyna syniad gwerth chweil, ddieithryn. Gyda thipyn o lwc, dim ond un ohonoch chi fydd yn rhaid i mi ei warchod erbyn bore fory.'

Agorodd ddrws cell Sam a'i lusgo allan. Roedd y bachgen yn cicio a sgrechian â'i holl nerth.

Safodd Jac yn ei ôl ac aros i'r gwarchodwr daflu Sam i mewn i'r gell.

'Beth amdani?' holodd y gwarchodwr. 'Roeddwn i'n meddwl dy fod di eisiau hanner ei ladd?'

Cerddodd Jac at Sam a'i ddyrnu'n glewt ar ganol ei dalcen. Syrthiodd hwnnw fel darn o blwm.

'Dyna'r cyfan?' Trodd y gwarchodwr ar ei sawdl. 'Dim ond un glec?'

'Mae hi'n fwy o hwyl fel hyn. Ei ladd yn ara' deg.'

Galwodd rhywun ar y gwarchodwr a brasgamodd hwnnw i fyny'r grisiau. Arhosodd y ddau fachgen nes eu bod yn clywed sŵn y drws yn cau ar ben y grisiau.

'Roeddet ti'n wych,' sibrydodd Jac. 'Roeddwn i'n meddwl dy fod ti'n anymwybodol go iawn.'

Nid atebodd Sam.

'Sam?' Ysgydwodd Jac ei gyfaill.

Ochneidiodd Sam cyn tynnu anadl ddofn. 'Beth ddigwyddodd? O ie, fe wnest ti fy nharo. Yn galed.'

'Roedd yn rhaid i mi, neu fe fyddai o wedi amau rhywbeth.'

'Ceisia actio y tro nesaf!' Cododd Sam ar ei eistedd ac ysgwyd ei ben. 'Rydw i'n dal i weld sêr … Ble mae'r twnnel? Fe fyddai'n well i ni ddianc cyn iddo fo ddechrau amau a dod yn ôl, a thithau'n gorfod fy nharo eto.'

Gwthiodd Jac y garreg a dangos y twnnel i Sam. 'I ble'r ydyn ni'n mynd?'

'Yn ôl i'n stafell. Os ydi fy offer yno o hyd, fe geisia i gysylltu â'r Plygwr Amser.'

'Beth os na fydd yn gweithio?'

'Bydd yn rhaid inni chwilio am gamel gweddol gyflym!'

PENNOD 15

'Dim ond munud fydda i,' meddai Jac.

'Does ganddon ni ddim amser. Beth petai'r gwarchodwr yn sylwi ein bod wedi dianc?'

'Mae'r bêl yna'n un arbennig iawn,' mynnodd Jac. 'Dydw i ddim am ei gadael hi ar ôl.' Camodd allan o'i guddfan y tu ôl i ddelw anferth. 'Fe wna i sleifio i mewn ac allan o'r neuadd mewn chwinciad, ac yna fe awn ni.'

Llithrodd at y drws a thaflu golwg heibio i'r gornel. Roedd pawb wedi mynd, ond roedd y bêl yn dal yno ar y bwrdd bwyd. Cerddodd Jac ati ar flaenau ei draed a'i chipio oddi ar y bwrdd.

'Fe lwyddaist ti i ddianc, felly.' Roedd Horemheb yn sefyll wrth un o'r drysau ochr. Tynnodd gleddyf byr, main o'i wregys. 'Mae'n addas iawn mai fi sy'n cael y fraint o'th ddal eto.'

Symudodd Jac yn nes at y brif fynedfa, lle'r oedd Sam yn aros amdano. 'Arhoswch am funud, Gadfridog. Rwy'n siŵr y medrwn ni drafod hyn yn gall.'

'Fedri di drafod heb ben ar d'ysgwyddau?' Hyrddiodd Horemheb tuag ato.

'Rhed, Jac!' gwaeddodd Sam.

Rhuthrodd Jac o amgylch y bwrdd gan geisio cadw'n ddigon pell o afael y cadfridog.

'Wnei di byth ddianc!' Neidiodd Horemheb gan lanio ar ganol y bwrdd bwyd anferth. 'Dyma dy ddiwedd di.'

Llithrodd Jac o dan y bwrdd, crafangu i'r pen pellaf a dod allan yr ochr arall.

'Dyna ddigon o gampau.' Chwifiodd Horemheb ei gleddyf.

Cododd Jac y bêl uwch ei ben a'i thaflu â'i holl nerth i ganol stumog y cadfridog. Yna rhedodd fel ewig at y drws.

'Warchodwyr!' gwaeddodd Horemheb. 'Ar ei ôl!'

Arweiniodd Sam y ffordd ar hyd y cyntedd. Bu bron iddo daro yn erbyn dau warchodwr a oedd wedi clywed gwaedd Horemheb. 'Y ffordd yma,' gwaeddodd wrth lithro drwy'r drws cyntaf a welodd.

Safodd y milwyr yn y drws, ond ni wnaeth yr un ohonynt ymdrech i ddilyn y bechgyn. Trodd Jac i edrych y tu ôl iddo. 'Dyna ryfedd. Dydyn nhw ddim am ddod ar ein holau ni.'

'Dydi hynny ddim yn rhyfedd o gwbl. Edrych o dy gwmpas. Ystafell y merched ydi hon. Yr harîm.'

Peidiodd Jac â rhedeg.

Rhuthrodd dwsinau o ferched ofnus y tu ôl i sgriniau tal i guddio rhag y dieithriaid.

'Ewch ar eu holau nhw!' Roedd Horemheb wedi dod ato'i hun ac yn sefyll wrth y drws. 'Dyna fy ngorchymyn i!'

'Y ffordd yma, Jac!' Gwelodd Sam gyntedd a oedd yn arwain allan i'r buarth.

'Dwi'n dy ddilyn di.'

Daethant at ddau ddrws. Dewisodd Sam yr un ar y chwith. Roedd ar glo. Ceisiodd agor yr un ar y dde. Roedd hwnnw wedi'i gloi hefyd. Roedd Horemheb a'i warchodwyr ar eu gwarthaf.

'Neidia, Sam!' Neidiodd Jac i ben y wal a thynnu Sam i fyny ar ei ôl.

Roedden nhw mewn gardd arall erbyn hyn.

'Gwych. Beth nesaf?' Chwiliodd Sam am ffordd allan.

Roedd Ankhesenpaaten yn eistedd yn yr ardd.

'Y ffordd yna,' meddai. Cyfeiriodd at gyntedd arall. 'Mae'n arwain at fy stafelloedd i. Mae Brown Jac Brown yn gwybod pa ffordd i fynd wedyn.'

Crafangodd Horemheb a'r gwarchodwyr dros y wal.

'Brysiwch,' sibrydodd Ankhesenpaaten wrth y bechgyn. Yna gwaeddodd, 'Mae'r carcharorion wedi dianc! Helpwch fi!'

Rhedodd Jac drwy ystafelloedd y frenhines a thrwy'r neuadd. 'Dyma ein stafell ni. Tania di y cyfrifiadur ac fe geisia i eu hatal nhw rhag dod i mewn.'

Llusgodd y gwely trwm fel ei fod ar draws y drws, a phentyrrodd fwrdd pren a dwy gadair arno.

Clywodd y ddau sŵn y tu allan i'r ystafell. Horemheb a'i ddynion oedd yno. 'Ewch i nôl holl filwyr y brenin a dewch â hwrdd rhyfel i mi hefyd,' gorchmynnodd Horemheb.

'Dydw i ddim eisiau torri ar dy draws,' meddai Jac wrth ei gyfaill, 'ond mae ganddon ni broblem fach ...'

Sychodd Sam y chwys oddi ar ei dalcen. 'Dydw i ddim yn deall. Roeddwn i bron yn sicr y byddai hwn yn gweithio. Fe ddylai'r ddysgl loeren weithio.'

Clywodd y bechgyn sŵn taro caled. Agorodd y drws ychydig fodfeddi. 'Eto! Hyrddiwch yn ei erbyn eto!'

Crafodd Jac ei ben. Fo oedd yn gyfrifol am yr holl helynt yma. Roedd yn rhaid iddo wneud rhywbeth. Edrychodd ar ddelw'r crocodeil. 'Wrth gwrs!'

Cydiodd yn y crocodeil a'i stwffio gerfydd ei gynffon i mewn i'r ddysgl loeren.

Daeth y drws yn rhydd ar ei fachau a syrthio'n glewt i'r llawr, gan falu'r dodrefn yn ddarnau mân.

Camodd Horemheb i'r ystafell.

Roedd hi'n wag.

Pennod 16

'Dewch y ffordd yma …'

Agorodd Sam ei lygaid. 'Rydan ni'n ôl!'

Lledodd gwên lydan ar draws wyneb Jac. 'Da iawn ti 'rhen foi,' meddai.

'Ydan, diolch i ti a dy grocodeil!'

'Esgusodwch fi, gyfeillion. Rydych chi'n dal y daith i fyny.' Pesychodd arweinydd y daith yn ysgafn. 'Yn yr adran yma rydyn ni'n cynnal arbrofion yn ymwneud â'r gofod ac amser. Unwaith eto, mae croeso i chi edrych ar bethau, ond peidiwch â chyffwrdd.'

'Wyt ti'n teimlo fel petaet ti wedi bod yma o'r blaen?' gofynnodd Jac.

Nodiodd Sam ei ben. 'Mae'n rhaid bod rhywbeth bach yn bod ar y Plygwr Amser. Rydyn ni wedi dod yn ein holau'n gynt na phan adawon ni. Yr un daith ydi hon.'

Crwydrodd y myfyrwyr drwy'r ystafell i edrych ar wahanol arbrofion.

Rhuthrodd Sam a Jac i'r cefn, a dod o hyd i Dr Craniwm yn eistedd yn ymyl y Plygwr Amser. Cododd ei ben i edrych ar y ddau. 'Chi ydi'r ddau sydd â diddordeb mewn plygu amser?' Gwelodd y bechgyn ef yn syllu ar y wialen ffibr ar ben ei beiriant.

'Mae o'n gwybod,' mwmiodd Jac.

Goleuodd llygaid yr hen wyddonydd. 'Sut brofiad oedd o? Fe ddaethoch chi o hyd i'r gyfrinach!'

'Mae ganddon ni lawer i'w ddweud wrthych chi, Dr Craniwm. Y peth pwysicaf un yw fod eich peiriant yn sicr yn gweithio. Fe aeth y ddau ohonon ni'n ôl i oes y brenin Tut,' gwenodd Sam.

'Hisht!' rhybuddiodd y doctor. 'Fedrwn ni ddim sôn am hyn wrth neb eto. Mae'n beryg y byddai rhywun yn ceisio'i ddwyn. Fe wela i chi ar ôl y cyflwyniad ac yna fe gewch ddweud popeth wrtha i am eich anturiaethau. Nawr, ewch. Mae pawb ar eu ffordd allan.'

'O'r gorau,' cytunodd Sam. 'Fe welwn ni chi yma ar y diwedd.' Dilynodd y bechgyn weddill y myfyrwyr.

'Fe fydd y doctor wedi dychryn pan ddywedwn ni wrtho beth ddigwyddodd.' Smaliodd Jac fownsio pêl i lawr y cyntedd.

'Bechod na chefaist ti dy bêl yn ôl,' cydymdeimlodd Sam â'i ffrind. 'Rydw i'n teimlo mai arna i mae'r bai.'

'Paid â phoeni. Fe ga i un arall rhyw ddydd.' Arhosodd Jac yn ei unfan. 'Aros am funud. Dydan ni rioed yn mynd i'r swper yna?'

Nodiodd Sam ei ben.

'Dim peryg!' Trodd Jac ac anelu'n ôl am y labordy.

'I ble'r wyt ti'n mynd?'

'Yn ôl at y Plygwr Amser. Rydw i am geisio'i gael o i fynd â ni i'r dyfodol. Efallai y gwnaiff o fynd â ni i arcêd.'

'Ni?'

'Wrth gwrs. Dwyt tithau ddim am fynd i'r swper dwl yna chwaith, nac wyt?'

'Rwyt ti yn llygad dy le!' Brysiodd Sam at ei gyfaill. 'Wyddost ti beth? Fe allen ni dreulio gweddill ein bywydau'n gwneud hyn.'

'Pam lai? Rydw i ar gael am y ganrif neu ddwy nesaf.' Arhosodd Jac yn ei unfan wrth ddrws y labordy. '*Y Plygwyr Amser* – mae o'n swnio'n dda, tydi?'

YSGRIFENNA 'RUN FATH AG EIFFTIWR

Roedd gan yr Eifftwyr ffordd arbennig o sgrifennu, sef hieroglyffig, neu arwyddluniau. Roedden nhw'n defnyddio lluniau yn hytrach na geiriau. Er enghraifft, llun tylluan oedd yn cynrychioli sŵn y llythyren M. Roedd dril siâp bwa a ddefnyddid i gynnau tân yn arwydd o ffyniant. A 10,000 oedd ystyr llun o'r mynegfys.

Gelli di a dy gyfeillion ddyfeisio eich hiaith hieroglyffig, neu god cyfrinachol, eich hunain. Yna, dim ond chi fydd yn ei ddeall. Mae'n weddol hawdd. I dechrau, tynnwch luniau o symbolau i gynrychioli llythrennau'r wyddor. Ar ôl dyfeisio eich cod, medrwch ddechrau ysgrifennu negeseuon a fydd yn drysu pawb arall yn lân.

Dyma un i chi gael ymarfer bach. Mae pob rhif yn y neges hon yn cynrychioli llythyren o'r wyddor. (Mae'r ateb oddi tanodd – rhag ofn!)

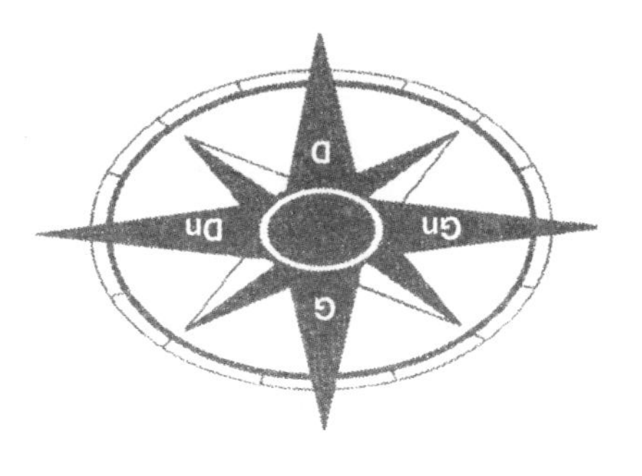

Annwyl Ddarllenwyr

Rydw i yn gobeithio yn fawr eich bod yn mwynhau darllen y gyfres *Byd o Beryglon*. Pob hwyl ar ddatrys y cod!

Gary Paulsen

1 17 17 28 29 14   6 1 21 15 7 17 27 28 21

21 28 5 27   13   28 17
10 18 2 7 13 25 13 18   28 17
8 1 27 21   7 13 4   2 18 5   28 17
16 27 28 17 12 1 26   5 1 21 15 7 17
28   10 28 8 21 7 23   2 28 5   18
2 7 21 28 10 14 18 17   19 18 2
12 27 28 14   1 21   6 1 24 21 28 23
28   3 18 5

10 1 21 28   19 1 26 14 23 7 17

BYD O BERYGLON GARY PAULSEN

Mentrwch ar anturiaethau Gary Paulsen i ganol byd o beryglon – mae'n rhaid bod yn tŷff i ddod trwyddynt …

1. PERYGL AR AFON LLOER

Gary Paulsen (addasiad Esyllt Nest Roberts)

Roedd yn ymladd am ei fywyd. Corddai'r llifogydd o'i gwmpas wrth ei hyrddio'n wyllt i lawr yr afon fel pe na bai'n ddim ond brigyn crin. Roedd y dŵr yn iasoer, a doedd dim modd dianc …

Mae Daniel wedi cael llond bol ar y bwlis cegog sy'n teithio gydag ef i'r gwersyll. Felly, pan mae eu bws yn cael damwain ac yn glanio yn yr afon frochus, mae'n gorfod wynebu penderfyniad anodd. Gall ei achub ei hun, neu fentro popeth – gan gynnwys ei fywyd, hyd yn oed – er mwyn ceisio achub y bwlis y mae ganddo bob rheswm dros eu casáu …

£2.99; Gwasg Carreg Gwalch.

2. YR ARTH GRISLI

Gary Paulsen (addasiad Esyllt Nest Roberts)

Roedd yr arth yn enfawr. Roedd ei phawennau'n hir ac yn flewog, a'r ewinedd gwyn, crwn yn hir fel cyllyll môr-ladron. Gydag un ergyd, cododd yr arth grisli y llanc o'r mieri a'i lusgo gerfydd ei esgid ar draws y nant …

Mae Justin mewn trybini. Ar ôl cael ei adael ar ei ben ei hun ar ransh y teulu, mae wedi dod wyneb yn wyneb ag arth grisli fileinig. Mae honno eisoes wedi lladd unwaith. Ac yn awr, mae'r bwystfil anferth fel petai wedi cael blas ar waed – gwaed dynol …

£2.99; Gwasg Carreg Gwalch.

3. PLYGU AMSER

Gary Paulsen (addasiad Esyllt Nest Roberts)

'Beth yn union ydi plygu amser?' gofynnodd Sam wrth edrych yn fanwl ar yr offer cymhleth yr olwg oedd o'i flaen. Trodd y gwyddonydd ei ben. 'Wel, teithio mewn amser, wrth gwrs.'

Mae rhywbeth rhyfedd iawn yn digwydd i amser pan fo Sam-siwpyr-peniog a Jac y ffanatig pêl-fasged yn mynd ar daith i'r Aifft – yr Hen Aifft! Wrth ddod wyneb yn wyneb â gelyn pennaf y pharo, mae teithio i oes arall yn troi'n hunllef. Mae hwnnw am eu carcharu nhw – a hynny am byth …

£2.99; Gwasg Carreg Gwalch.

4. CRAIG Y DIAFOL

Gary Paulsen (addasiad Esyllt Nest Roberts)

Dringodd Rick ar hyd wyneb bol y graig. Yn sydyn, teimlodd ei gorff yn syrthio ychydig fodfeddi. Yna, clywodd sŵn ofnadwy – y rhaff yn dod yn rhydd. Disgynnodd Rick wysg ei gefn i'r gwagle …

Mae Rick yn ddringwr tan gamp nad yw byth yn poeni am beryglon. Ei dîm ef fydd y dringwyr ieuengaf erioed i goncro llethrau Craig y Diafol. Ond mae gan y copa gyfrinach farwol. A hithau wedi mynd i'r pen, faint mae rhywun yn barod i'w fentro er mwyn aros ar dir y byw?

£2.99; Gwasg Carreg Gwalch.

5. PARASIWT!

Gary Paulsen (addasiad Esyllt Nest Roberts)

Gafaelodd Llinos yn y cortyn a'i dynnu. Ddigwyddodd dim byd. Tynnodd y cortyn eto ac eto, ond roedd y parasiwt yn gwrthod agor. Roedd hi'n disgyn fel carreg drwy'r awyr …

Tydi Rob ddim yn ofni'r awyr – cafodd ei fagu ynghanol parasiwts. Ond mae'r cwbl yn newydd i Llinos, mae ei pharasiwt wedi torri a hithau'n cael ei hyrddio'n wyllt drwy'r awyr. Mae'n rhaid i Rob ei helpu hi, ond dim ond un ffordd sydd yna i fynd – am i lawr …

£2.99; Gwasg Carreg Gwalch.

6. Y LLONG DRYSOR

Gary Paulsen (addasiad Esyllt Nest Roberts)

Plyciodd Rhys ei fraich yn rhydd a nofio yn ei ôl. Roedd y boen yn waeth na mil o nodwyddau yn plannu i mewn i'w law. Llifodd hylif gwyrdd o ben ei fawd. Roedd Rhys yn gwybod mai lliw ei waed ei hun oedd o …

Mae llong a'i llond o drysor wedi'i dryllio rhywle yn y cefnfor tywyll. Bu farw tad Rhys wrth chwilio amdani – ac yn awr, ei dro ef yw hi i blymio i'r tywyllwch. Ond mae cyfrinach erchyll yn cuddio ar wely'r môr – cyfrinach sy'n fwy gwerthfawr nag aur nac arian …

£2.99; Gwasg Carreg Gwalch.